中华人民共和国行业标准

钢制焊接立式锥形容器
施工及验收规范

Code for construction and acceptance of
welded type steel vertical conical vessel

YS/T 5431-2016

主编部门：中国有色金属工业协会
批准部门：中华人民共和国工业和信息化部
施行日期：2017年4月1日

中国计划出版社

2016 北京

中华人民共和国行业标准

钢制焊接立式锥形容器
施工及验收规范
YS/T 5431-2016

☆

中国计划出版社出版发行
网址:www.jhpress.com
地址:北京市西城区木樨地北里甲11号国宏大厦C座3层
邮政编码:100038 电话:(010)63906433(发行部)
三河富华印刷包装有限公司印刷

850mm×1168mm 1/32 3印张 73千字
2017年3月第1版 2017年3月第1次印刷
印数1—2000册
☆
统一书号:155182·0042
定价:30.00元

版权所有 侵权必究
侵权举报电话:(010)63906404
如有印装质量问题,请寄本社出版部调换

中华人民共和国工业和信息化部
公 告

2016 年 第 56 号

工业和信息化部批准《静态混合器》等 605 项行业标准（标准编号、名称、主要内容及实施日期见附件 1），其中机械行业标准 220 项、航空行业标准 8 项、化工行业标准 171 项、建材行业标准 8 项、冶金行业标准 48 项、有色金属行业标准 1 项、纺织行业标准 74 项、轻工行业标准 6 项、黄金行业标准 7 项、电子行业标准 15 项、通信行业标准 47 项；批准《LTE/CDMA 多模终端设备（单卡槽）技术要求及测试方法》等 3 项通信行业标准修改单（详见附件 2），现予公布。行业标准修改单自发布之日起实施。

以上机械行业标准由机械工业出版社出版，航空行业标准由中国航空综合技术研究所组织出版，化工行业标准由化工出版社出版，建材行业标准由建材工业出版社出版，冶金行业标准由冶金工业出版社出版，有色金属行业工程建设标准由中国计划出版社出版，化工行业工程建设标准由科学技术文献出版社出版，纺织、黄金行业标准由中国标准出版社出版，轻工行业标准由中国轻工业出版社出版，电子行业标准由工业和信息化部电子工业标准化研究院组织出版，通信行业标准由人民邮电出版社出版。

附件:1.605项行业标准编号、名称、主要内容等一览表
2.3项通信行业标准修改通知单

中华人民共和国工业和信息化部
2016年10月22日

附件1：

605项行业标准编号、名称、主要内容等一览表

序号	标准编号	标准名称	标准主要内容	代替标准	采标情况	实施日期
……						
	有色金属行业					
……						
448	YS/T 5431-2016	钢制焊接立式锥形容器施工及验收规范	本规范主要技术内容包括：结构设计、材料选用、制造、安装、检验检测、使用、设备自身安全和使用安全等内容，以及质量检验标准			2017-04-01
……						

前　言

根据工业和信息化部《工业和信息化部办公厅关于印发2013年第三批行业标准制修订计划的通知》(工信厅科〔2013〕163号)的要求,《钢制焊接立式锥形容器施工及验收规范》由中色十二冶金建设有限公司会同有关单位共同编制完成。

本规范在编制过程中,编制组经广泛深入调查研究,认真总结实践经验,吸取了相关行业施工规范成果,并在广泛征求意见的基础上,经过反复讨论、修改和完善,最后经审查定稿。

本规范共分15章和3个附录,主要内容包括:总则、术语、基本规定、基础验收、材料及附属设备验收、底部支撑制作及安装、锥体制作及安装、筒体制作及安装、顶部结构制作及安装、附件安装、搅拌设备安装、焊接应力处理、验收、职业健康安全、环境保护等。

本规范由工业和信息化部负责管理,由中国有色金属协会提出,由中国有色金属工业工程建设标准规范管理处负责日常管理,由中色十二冶金建设有限公司负责具体技术内容的解释。本规范在执行过程中,请各单位总结经验,积累资料,随时将有关意见和建议反馈给中色十二冶金建设有限公司(地址:山西省太原市杏花岭区胜利街280号,邮政编码:030009),以供今后修订时参考。

本规范主编单位、参编单位、主要起草人和主要审查人:

主 编 单 位: 中色十二冶金建设有限公司
参 编 单 位: 七冶建设有限责任公司
　　　　　　　五矿二十三冶建设集团有限公司
　　　　　　　沈阳铝镁设计研究院有限公司
　　　　　　　十一冶建设集团有限责任公司

主要起草人：柴　卫　　董宏生　　张劲松　　原　宏　　李勇军
　　　　　　　刘祥军　　李建勇　　韩安玲　　文　杰　　陈文华
　　　　　　　陈　静　　余佳泉　　吴洪满　　汤国海　　詹俊春
　　　　　　　尹德明　　薛俊福　　曹秀明　　张晓芳　　蔡平涛
　　　　　　　黄登斌　　孙巧玲　　刘　磊
主要审查人：张志强　　王放初　　张荣京　　陈建平　　华新生
　　　　　　　张　杰　　李俊峰　　张建国　　刘　兵　　赵振涛
　　　　　　　陈瑛卿

目 次

1 总　　则 …………………………………………… (1)
2 术　　语 …………………………………………… (2)
3 基本规定 …………………………………………… (3)
4 基础验收 …………………………………………… (4)
5 材料及附属设备验收 ……………………………… (6)
　5.1 钢材验收 ……………………………………… (6)
　5.2 焊接材料验收 ………………………………… (6)
　5.3 附属设备验收 ………………………………… (7)
6 底部支撑制作及安装 ……………………………… (8)
　6.1 制作 …………………………………………… (8)
　6.2 安装 …………………………………………… (11)
　6.3 焊接 …………………………………………… (13)
　6.4 涂装 …………………………………………… (14)
7 锥体制作及安装 …………………………………… (16)
　7.1 制作 …………………………………………… (16)
　7.2 安装 …………………………………………… (17)
　7.3 焊接 …………………………………………… (18)
8 筒体制作及安装 …………………………………… (19)
　8.1 制作 …………………………………………… (19)
　8.2 组装 …………………………………………… (20)
　8.3 焊接 …………………………………………… (24)
　8.4 筒体形状和尺寸检查 ………………………… (31)
　8.5 涂装 …………………………………………… (31)
9 顶部结构制作及安装 ……………………………… (32)

9.1　制作 ………………………………………………………（32）
　　9.2　安装及焊接 …………………………………………………（33）
　　9.3　涂装 …………………………………………………………（35）
10　附件安装 …………………………………………………………（36）
11　搅拌设备安装 ……………………………………………………（37）
12　焊接应力处理 ……………………………………………………（38）
13　验　　收 …………………………………………………………（39）
　　13.1　钢结构的检验 ………………………………………………（39）
　　13.2　试水试漏检验 ………………………………………………（41）
　　13.3　搅拌设备试运转验收 ………………………………………（42）
　　13.4　整体验收 ……………………………………………………（42）
14　职业健康安全 ……………………………………………………（44）
15　环境保护 …………………………………………………………（45）
附录A　基础沉降观测 ………………………………………………（46）
附录B　交工验收表 …………………………………………………（49）
附录C　搅拌设备试运转记录 ………………………………………（61）
本规范用词说明 ………………………………………………………（62）
引用标准名录 …………………………………………………………（63）
附：条文说明 …………………………………………………………（65）

Contents

1 General provisions ·· (1)
2 Terms ··· (2)
3 Basic requirements ·· (3)
4 Foundation acceptance ··· (4)
5 Acceptance of materials and equipment ····················· (6)
   5.1 Acceptance of steel ··· (6)
   5.2 Acceptance of welding material ···························· (6)
   5.3 Acceptance of equipment ····································· (7)
6 Bottom support in steel structure ······························· (8)
   6.1 Manufacture ··· (8)
   6.2 Erection ·· (11)
   6.3 Welding ·· (13)
   6.4 Painting ··· (14)
7 Production and erection of cone ································ (16)
   7.1 Production of the cone ·· (16)
   7.2 Erection of the cone ··· (17)
   7.3 Welding of the cone ··· (18)
8 Production and erection of barrel ······························ (19)
   8.1 Production of the barrel ······································ (19)
   8.2 Barrel assembly ··· (20)
   8.3 Barrel welding ··· (24)
   8.4 Inspection on shape and dimension of the barrel ······ (31)
   8.5 Painting of the barrel ·· (31)
9 Manufacture and erection of top structure ················· (32)

9.1 Manufacture (32)
9.2 Erection and welding (33)
9.3 Painting (35)
10 Accessories installation (36)
11 Installation of mixing equipment (37)
12 Treatment of welding stress (38)
13 Acceptance (39)
   13.1 Inspection of the steel structure (39)
   13.2 Water testing and leak testing (41)
   13.3 Commissioning acceptance of mixing equipment (42)
   13.4 Overall acceptance (42)
14 Technical means for ensuring safety (44)
15 Environmental protection (45)
Appendix A Foundation settlement observation (46)
Appendix B Completion and acceptance tables (49)
Appendix C Records for commissioning acceptance
           of mixing equipment (61)
Explanation of wording in this code (62)
List of quoted standards (63)
Addition: Explanation of provisions (65)

1 总　　则

1.0.1 为统一钢制焊接立式锥形容器施工及验收的要求，确保钢制焊接立式锥形容器施工质量，制定本规范。

1.0.2 本规范适用于钢制焊接立式锥形容器的制作和安装及质量验收。

1.0.3 钢制焊接立式锥形容器施工及验收除应符合本规范外，尚应符合国家现行有关标准的规定。

2 术 语

2.0.1 设计文件 design document

由设计单位完成的设计图纸、设计说明和设计变更文件等技术文件的统称。

2.0.2 零件 part

指组成部件或构件的最小单元,如中幅板、翼缘板等。

2.0.3 构件 element

由零件或由零件和部件组成的钢结构基本单元,如梁、柱、支撑等。

2.0.4 锥形容器 conical vessel

由锥形与圆筒形结构经焊接连接成型的储存物料的罐体。

2.0.5 搅拌装置 agitation equipment

由搅拌器、传动装置、搅拌轴系三部分组成,具有搅拌和刮料作用的装置。

2.0.6 环境温度 ambient temperature

制作或安装时现场的温度。

3 基本规定

3.0.1 钢制焊接立式锥形容器施工单位应具备相应的钢结构工程施工资质，并应通过质量、环境、职业健康安全管理体系认证。

3.0.2 钢制焊接立式锥形容器应按设计文件规定施工，当需要修改设计文件时，应经原设计单位同意，并出具书面文件。

3.0.3 钢制焊接立式锥形容器的预制、安装、验收应采用同一准确度等级的计量器具。

3.0.4 现场施工及质量管理应符合现行国家标准《有色金属工业安装工程质量验收统一标准》GB 50654 的规定。

4 基础验收

4.0.1 基础验收应符合现行国家标准《混凝土结构工程施工质量验收规范》GB 50204 的有关规定,并应办理中间交接手续,应有测量记录,应明显标出基础标高,基准线及纵、横中心线。在建筑物上应标有坐标轴线,并应在基础上设置沉降观测点。

4.0.2 基础验收应进行外观检查,并应对基础位置及尺寸按设计施工图进行复测,其允许偏差和检验方法应符合表 4.0.2 的规定。当基础顶面作为柱的支撑面时,其支承面、地脚螺栓(锚栓)位置的允许偏差应符合本规范表 6.2.2-1 的规定。

表 4.0.2 混凝土设备基础位置及尺寸允许偏差和检验方法(mm)

序号	项 目		允许偏差	检验方法
1	坐标位置		20	钢直尺检查
2	不同平面的标高		0,-20	水准仪或拉线、钢直尺检查
3	平面外形尺寸		20	钢直尺检查
4	凸台上平面外形尺寸		0,-20	
5	凹穴水平度		+20,0	
6	平面水平度	每米	5	水平尺、塞尺检查
		全长	10	水准仪或拉线、钢直尺检查
7	垂直度	每米	5	经纬仪或吊线、钢直尺检查
		全高	10	
8	预埋地脚螺栓	标高(顶部)	+20,0	水准仪或拉线、钢直尺检查
		中心距	2	钢直尺检查
9	预埋地脚螺栓孔	中心线位置	10	
		深度	+20,0	
		孔垂直度	10	吊线、钢直尺检查

续表 4.0.2

序号	项目		允许偏差	检验方法
10	预埋活动地脚螺栓锚板	标高	+20,0	水准仪或拉线、钢直尺检查
		中心线位置	5	钢直尺检查
		带槽锚板平整度	5	钢直尺、塞尺检查
		带螺纹孔锚板平整度	2	

4.0.3 地脚螺栓预留孔内积水及杂物必须清理干净,并应采取保护措施。

4.0.4 采用垫铁安装时,放置垫铁处的基础表面应平整,其接触面积不应小于80%;水平度偏差不应大于2‰。

4.0.5 二次灌浆的基础表面应凿出麻面,麻点深度不应小于10mm;麻点密度3点/100cm^2~5点/100cm^2;基础表面不得有油污和疏松层。二次灌浆混凝土等级应高于原基础混凝土一个等级。灌浆层必须捣固密实,养护良好。

4.0.6 设备安装检查合格后,必须提出二次灌浆通知单。地脚螺栓一次灌浆、设备二次灌浆时,安装单位宜派人监护。

5 材料及附属设备验收

5.1 钢材验收

5.1.1 钢材验收应符合下列规定：

1 钢材进场应有钢材采购技术文件。

2 检查出厂质量证明文件，名称、材质、品种、规格、性能、包装标志、产品标识等应符合设计技术文件及国家现行产品标准的规定。进口钢材的质量应符合设计和合同规定标准的要求。

3 质量证明文件中材料性能数据不全或图纸对材料有特殊要求时，应对钢材按相关规定进行复验。

4 钢材和附件上应有清晰的产品标识。

5 钢板应逐张进行外观检查，其质量应符合现行国家相应钢板标准的规定。

6 钢板表面局部减薄量、划痕深度与钢板实际负偏差之和，不应大于相应钢板标准允许负偏差值。

7 检验不合格的材料应及时清退现场，不得使用。

8 材料进场后应分类存放、标识清晰妥善保管。

5.2 焊接材料验收

5.2.1 焊条、焊丝、焊剂及保护气体等焊接材料应具有质量合格证明书或检验报告，并应符合下列规定：

1 焊条应符合现行国家标准《非合金钢及细晶粒钢焊条》GB/T 5117 和《热强钢焊条》GB/T 5118 以及《不锈钢焊条》GB/T 983 的规定，药芯焊丝应符合现行国家标准《碳钢药芯焊丝》GB/T 10045 和《不锈钢药芯焊丝》GB/T 17853 的规定，埋弧焊使用的焊丝应符合现行国家标准《气体保护电弧焊用碳钢、低合金钢焊丝》

GB/T 8110 的规定。

2 焊剂应符合现行国家标准《埋弧焊用碳钢焊丝和焊剂》GB/T 5293 和《埋弧焊用低合金钢焊丝和焊剂》GB/T 12470 的规定。

3 二氧化碳气体应符合现行行业标准《焊接用二氧化碳》HG/T 2537 的规定，保护用氩气应符合现行国家标准《氩》GB/T 4842 的规定。

5.3 附属设备验收

5.3.1 附属设备验收应符合下列规定：

1 整体包装设备的包装箱必须完好无损，裸装或半裸装的设备应无磕碰、破损、变形或腐蚀等缺陷。

2 开箱检验由建设单位组织，工程监理、供货商、施工等单位参加。

3 按装箱单清点设备数量，按设计技术文件核对设备的型号、规格。

4 检查设备表面质量，应无缺损、无变形、无锈蚀。

5 设备应有质量合格证，进口设备应有商检合格证，整体供货设备应铭牌完好，散件供货设备各零部件应标识清晰。

6 清点登记随箱文件、备品备件、专用工具。

7 形成记录并办理设备交接手续。

8 对需要在现场临时存放的设备或半成品，应设置专用场地并有防雨、防火、防盗等保护措施。

6 底部支撑制作及安装

6.1 制 作

6.1.1 切割应符合下列规定：

1 钢材切割面或剪切面应无裂纹、夹渣、分层和大于1mm的缺棱。

2 气割的允许偏差应符合表6.1.1-1的规定。

表6.1.1-1 气割允许偏差(mm)

项 目	允许偏差	检验方法
零件宽度、长度	±3.0	钢卷尺
切割面平面度	0.05t，且不应大于2.0	钢直尺
割纹深度	0.3	焊缝量规
局部缺口深度	1.0	

注：t为切割面厚度。

3 机械剪切的允许偏差应符合表6.1.1-2的规定。

表6.1.1-2 机械剪切允许偏差(mm)

项 目	允许偏差	检验方法
零件宽度、长度	±3.0	钢卷尺
边缘缺棱	1.0	焊缝量规
型钢端部垂直度	2.0	钢直尺

6.1.2 矫正和成型应符合下列规定：

1 碳素结构钢在环境温度低于－16℃，低合金结构钢在环境温度低于－12℃时，不应进行冷矫正和冷弯曲；碳素结构钢和低合金结构钢在加热矫正时，加热温度不应超过900℃；低合金结构钢在加热矫正后应自然冷却。

2 当零件采用热加工成型时,加热温度应控制在 900℃~1000℃;碳素结构钢和低合金结构钢在温度分别下降到 700℃ 和 800℃ 之前应结束加工;低合金结构钢应自然冷却。

3 矫正后的钢材表面不应有明显的凹面或损伤,划痕深度不得大于 0.5mm,且不应大于该钢材厚度负允许偏差的 1/2。

4 冷矫正和冷弯曲的最小曲率半径和最大弯曲矢高应符合表 6.1.2-1 的规定。

表 6.1.2-1 冷矫正和冷弯曲的最小曲率半径和最大弯曲矢高(mm)

钢材类别	图例	对应轴	矫正 r	矫正 f	弯曲 r	弯曲 f
钢板扁钢		$x-x$	$50t$	$l^2/400t$	$25t$	$l^2/200t$
		$y-y$(仅对扁钢轴线)	$100b$	$l^2/800b$	$50b$	$l^2/400b$
角钢		$x-x$	$90b$	$l^2/720b$	$45b$	$l^2/360b$
槽钢		$x-x$	$50h$	$l^2/400h$	$25h$	$l^2/200h$
		$y-y$	$90b$	$l^2/720b$	$45b$	$l^2/360b$
工字钢		$x-x$	$50h$	$l^2/400h$	$25h$	$l^2/200h$
		$y-y$	$50b$	$l^2/400b$	$25b$	$l^2/200b$

注:r 为曲率半径,f 为弯曲矢高,l 为弯曲弦长,t 为钢板厚度。

5 钢材矫正后的允许偏差应符合表 6.1.2-2 的规定。

表 6.1.2-2 钢材矫正后允许偏差(mm)

项 目		允许偏差	图 例
钢板局部平面度	$t \leqslant 14$	1.5	
	$t > 14$	1.0	
型钢弯曲矢高		$l/1000$,且不应大于 5.0	
角钢肢的垂直度		$b/100$ 双肢栓接角钢的角度不得大于 90°	
槽钢翼缘对腹板的垂直度		$b/80$	
工字钢、H 型钢翼缘对腹板的垂直度		$b/100$,且不大于 2.0	

6.1.3 气割或机械剪切的零件需要进行边缘加工时,其刨削量不应小于 2.0mm,边缘加工允许偏差应符合表 6.1.3 的规定。

表 6.1.3 边缘加工允许偏差

项 目	允许偏差	检验方法
零件宽度、长度	±1.0mm	钢卷尺
加工边直线度	$l/3000$,且不应大于 2.0mm	钢直尺
相邻两边夹角	±6′	角度尺
加工面垂直度	$0.025t$,且不应大于 0.5mm	钢直尺
加工面表面粗糙度	$Ra \leqslant 50\mu m$	表面粗糙度测量仪

6.1.4 支撑焊接 H 型钢组装应符合下列规定：

1 焊接 H 型钢的翼缘板拼接缝和腹板拼接缝的间距不应小于 200mm；翼缘板拼接长度不应小于 2 倍板宽，腹板拼接宽度不应小于 300mm，长度不应小于 600mm。

2 焊接 H 型钢的允许偏差应符合现行国家标准《钢结构工程施工质量验收规范》GB 50205 的有关规定。

6.2 安 装

6.2.1 支撑钢构件外形尺寸的允许偏差应符合表 6.2.1 的规定。

表 6.2.1 支撑钢构件外形尺寸允许偏差（mm）

项 目	允 许 偏 差
支撑柱、梁长度尺寸	±2.0
构件连接处截面几何尺寸	
梁柱连接处的腹板中心线偏移	2.0
受压构件（杆件）弯曲矢高	$l/1000$，且不应大于 10.0

6.2.2 支撑立柱安装应符合下列规定：

1 支撑立柱基础定位轴线、基础轴线和标高、地脚螺栓的规格及其紧固应符合设计要求。

2 基础顶面直接作为柱的支撑面或基础顶面预埋钢板或支座作为柱的支撑面时，其支承面、地脚螺栓（锚栓）位置的允许偏差应符合表 6.2.2-1 的规定。

表 6.2.2-1 支承面、地脚螺栓（锚栓）位置允许偏差（mm）

项 目		允 许 偏 差
支承面	标高	±3.0
	水平度	$l/1000$
地脚螺丝（锚栓）	螺栓中心偏移	3.0
	预留孔中心偏移	10.0

3 地脚螺栓（锚栓）尺寸的允许偏差应符合表 6.2.2-2 的规

定。地脚螺栓(锚栓)的螺纹应采取保护措施。

表6.2.2-2 地脚螺栓(锚栓)尺寸允许偏差(mm)

项 目	允许偏差
螺栓(锚栓)露出长度	+30.0 0.0
螺纹长度	+30.0 0.0

6.2.3 支撑横梁、斜梁安装应符合下列规定：

1 焊接连接组装的允许偏差应符合现行国家标准《钢结构工程施工质量验收规范》GB 50205 的有关规定。

2 支撑横梁、斜梁结构杆件轴线交点错位的允许偏差不得大于3.0mm。

3 焊缝坡口的允许偏差应符合表6.2.3的规定。

表6.2.3 焊缝坡口允许偏差(mm)

项 目	允许偏差
坡口角度	±5°
钝边	±1.0

6.2.4 支撑的安装和校正应符合下列规定：

1 柱、梁构件安装应符合设计要求。

2 运输、堆放和吊装等造成的钢构件变形及涂层脱落，应进行矫正和修补。

3 设计要求顶紧的节点，接触紧贴面不应少于70%，且边缘最大间隙不应大于0.8mm。

4 钢柱构件的中心线及标高基准点等标记齐全。

5 现场焊缝组对间隙的允许偏差应符合表6.2.4的规定。

表6.2.4 现场焊缝组对间隙的允许偏差(mm)

项 目	允许偏差
无垫板间隙	+3.0 0.0

续表 6.2.4

项　目	允　许　偏　差
有垫板间隙	+3.0 −2.0

6 钢结构表面应干净,结构主要表面不应有疤痕、泥沙等污垢。

6.3 焊　　接

6.3.1 焊条、焊丝、焊剂等焊接材料与母材的匹配应符合设计要求及现行国家标准《钢结构焊接规范》GB 50661 的规定。焊条、焊丝、焊剂等在使用前,应按其产品说明书及焊接工艺文件的规定进行烘焙和存放。

6.3.2 焊工应取得考试合格证书,在其考试合格项目及其认可的范围内施焊。

6.3.3 焊接工艺应符合下列规定:

1 施工单位应对首次采用的钢材、焊接材料、焊接方法、焊后热处理等进行焊接工艺评定,并应根据评定报告确定焊接工艺。

2 对于需要进行焊前预热或焊后热处理的焊缝,其焊前预热温度或后热温度应符合国家有关标准的规定或通过工艺试验确定。预热区在焊道两侧,每侧宽度均应大于焊件厚度的 1.5 倍以上,且不应小于 100mm;后热处理应在焊后立即进行,保温时间应根据板厚按每 25mm 板厚 1h 确定。

6.3.4 焊缝检验应符合下列规定:

1 焊缝表面及热影响区,不得有裂纹、气孔、夹渣、弧坑和未焊满等缺陷。

2 对接接头咬边深度不得大于 0.5mm,咬边的连续长度不得大于 100mm,焊缝两侧的咬边总长度不得超过该焊工焊接焊缝长度的 10%。

3 焊缝尺寸允许偏差应符合现行国家标准《钢结构工程施工

质量验收规范》GB 50205 的有关规定。

4 焊成凹形的角焊缝,焊缝金属与母材间应平缓过渡;加工成凹形的角焊缝,不得在其表面留下切痕。

5 焊缝感观应达到外形均匀、成型好,焊道与焊道、焊道与基本金属间过渡应平滑,焊渣和飞溅物应清除干净。

6 设计要求全焊透的一、二级焊缝应采用超声波探伤进行内部缺陷的检验。超声波探伤不能对缺陷做出判断时,应采用射线探伤,其内部缺陷分级及探伤方法应符合现行国家标准《焊缝无损检测　超声检测　技术、检测等级和评定》GB 11345 或《金属熔化焊焊接接头射线照相》GB/T 3323 的规定。

7 一、二级焊缝的质量等级及缺陷分级应符合表 6.3.4 的规定。

表 6.3.4　一、二级焊缝的质量等级及缺陷分级

焊缝质量等级		一级	二级
内部缺陷 超声波探伤	评定等级	Ⅰ	Ⅱ
	检验等级	C 级	A、B 级
内部缺陷 射线探伤	评定等级	Ⅱ	Ⅲ
	检验等级	B 级	A、AB 级

注:1　对工厂制作焊缝,应按每条焊缝计算百分比,且探伤长度不应小于 200mm,当焊缝长度不足 200mm 时,应对整条焊缝进行探伤。
　　2　对现场安装焊缝,应按同一类型、同一施焊条件的焊缝条数计算百分比,探伤长度不应小于 200mm,并不应少于 1 条焊缝。

8 T 形接头、十字接头、角接接头等要求熔透的对接和角对接组合焊缝,其焊角尺寸不应小于 $t/4$(t 为接头连接较薄板的厚度)。

6.4　涂　　装

6.4.1 支撑涂装应在支撑结构件组装、焊接、安装工程检验批的施工质量验收合格后进行。

6.4.2 涂装时的环境温度和相对湿度应符合涂料产品说明书的

要求,当无要求时,环境温度宜在 5℃～38℃ 之间,相对湿度不应大于 85%。涂装时构件表面不应有结露,涂装后 4h 内应采取避免涂层受损的保护措施。

6.4.3 涂装前钢材表面除锈应符合设计要求。处理后的钢材表面不应有焊渣、焊疤、灰尘、油污、水和毛刺等。当设计无要求时,钢材表面最低的除锈等级应符合表 6.4.3 的规定。

表 6.4.3 钢材表面最低的除锈等级

涂料品种	除锈等级
油性酚醛、醇酸等底漆或防锈漆	St2
高氯化聚乙烯、氯化橡胶、氯磺化聚乙烯、环氧树脂、聚氨酯等底漆或防锈漆	Sa2
无机富锌、有机硅、过氯乙烯等底漆	Sa2.5

6.4.4 涂料、涂装遍数、涂层厚度均应符合设计要求。当设计对涂层厚度无要求时,涂层干漆膜总厚度:室外应为 $150\mu m$,室内应为 $125\mu m$,其允许偏差为 $-25\mu m$。每遍涂层干漆膜厚度的允许偏差为 $-5\mu m$。

6.4.5 构件表面不应误涂、漏涂,涂层不应脱皮和返锈等。涂层应均匀、无明显皱皮、流坠、针眼和气泡等。

6.4.6 当构件处在有腐蚀介质环境或外露且设计有要求时,应进行涂层附着力测试,在涂层附着力检测处范围内,涂层完整程度应达到 70% 以上。

6.4.7 涂装完成后,构件的标志、标记和编号应清晰完整。

7 锥体制作及安装

7.1 制 作

7.1.1 锥体制作前,应先绘制排版图,排版图应符合下列规定:

1 排版图中要标识好各预制钢板的尺寸及编号。

2 排版图中应将锥节拼装的纵向焊缝沿同一方向逐圈错开,相邻锥节纵向焊缝之间的距离不应小于300mm。

3 排版图中最短锥节的高度应大于500mm,且宜布置在锥体的下端部。

7.1.2 预制钢板的尺寸(图7.1.2)应符合表7.1.2的规定。

表7.1.2 预制钢板的尺寸允许偏差(mm)

测量部位	板长 $AB(CD) \geqslant 10000$	板长 $AB(CD) < 10000$	检验方式
边长 AC、BD	±3	±2	尺量
弧长 AB、CD	±4	±2	
对角线之差 $AD-BC$	≤3	≤2	
滚制后,任一点上 EF	≤2	≤2	

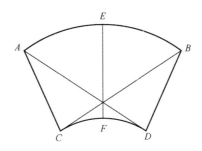

图7.1.2 预制钢板尺寸测量图

7.1.3 预制钢板的拼接要求应符合现行国家标准《立式圆筒形钢

制焊接储罐施工及验收规范》GB 50128 的规定。

7.1.4 割嘴倾角与割件厚度的关系应符合表 7.1.4-1 的有关规定,其切割余量应符合表 7.1.4-2 的有关规定。

表 7.1.4-1 割嘴倾角与割件厚度的关系

割件厚度(mm)	<10	≥10
倾角方向	后倾	垂直
倾角度数	10°	-15°

表 7.1.4-2 切割余量表

材料厚度(mm)	割缝宽度留量(mm)	备注
≤10	1～2	气割下料
10～20	3.0	—
20～40	3.5	—
40 以上	4.0	—

7.1.5 气割的允许偏差应符合表 7.1.5 的规定。

表 7.1.5 气割允许偏差

项 目	允 许 偏 差
零件宽度,长度	±2.0mm
切割面平面度	$0.05T$,且不大于 1.5mm
割纹深度	0.2mm
局部缺口深度	1.0mm
与板面垂直度	不大于 $0.025T$
坡口角度	±2.5°
钝边	±1.0mm
条料旁弯	不大于 3.0mm

注:T 为板厚。

7.2 安　　装

7.2.1 锥体拼装应符合下列规定:

1 锥体拼装顺序应符合排版图要求。
2 锥体的壳体大口径圆度的允许偏差应为 2/1000,且不应大于 20mm。
3 锥体的壳体小口径允许偏差不应大于 5mm。
4 锥体的壳体圈上口圆周各点相对高低差的允许偏差应为 4mm。
5 壳体高度的允许偏差为 1/1000,且不应大于 10mm。
6 锥面轮廓的允许偏差为 2/1000,且不应大于 20mm
7 当椎体为同心圆时,其小口同心度为 10mm。

7.2.2 锥体筒节的纵向焊缝宜向同一方向逐圈错开,距离宜为筒节板长的 1/3,且不宜小于 300mm。

7.2.3 锥体安装角度应符合设计要求。

7.2.4 锥体安装纵、横向中心线的允许偏差不应大于 10mm。

7.2.5 锥体安装标高的允许偏差应为 ±20mm。

7.3 焊 接

7.3.1 施焊前,应根据图样要求确定焊接工艺。焊工必须严格按施焊单位评定合格的焊接工艺进行施焊。

7.3.2 锥体焊接应符合现行国家标准《立式圆筒形钢制焊接储罐施工及验收规范》GB 50128 的规定。

8 筒体制作及安装

8.1 制 作

8.1.1 筒体制作前应绘制排版图,并应符合下列规定:

1 各圈筒节的纵缝宜向同一方向逐圈错开,相邻筒节纵缝之间的距离宜为板长的1/3,且不小于300mm;

2 顶盖、锥体拼接焊缝的端点与相邻筒节的纵缝的距离均不得小于300mm。

3 开孔接管或开孔接管补强板外缘与筒节纵环焊缝之间的距离应大于焊角尺寸的8倍,且不应小于250mm。

4 筒节长度不应小于300mm。

8.1.2 筒节钢板切割加工(图8.1.2)的尺寸允许偏差应符合表8.1.2的有关规定。

表8.1.2 筒节钢板切割加工的尺寸允许偏差(mm)

测量部位		板长 AB(CD)≥10000	板长 AB(CD)<10000
宽度 AC、BD、EF		±1.5	±1
长度 AB、CD		±2	±1.5
对角线之差 AD−BC		≤3	≤2
直线度	AC、BD	≤1	≤1
	AB、CD	≤2	≤2

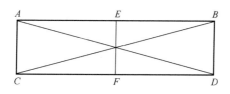

图8.1.2 筒节钢板切割加工图

8.1.3 焊缝坡口加工宜采用机械加工或自动、半自动火焰切割加工,加工的坡口表面不得有裂纹、分层、夹杂等缺陷。

8.1.4 筒节钢板卷制后,应立置在平台上用样板检查。垂直方向上用直线样板检查,其间隙不得大于1mm;水平方向上用弧形样板检查,其间隙不得大于4mm。

8.1.5 普通碳素钢工作环境温度低于－16℃或低合金钢工作环境温度低于－12℃时,不得进行剪切加工、冷矫正和冷弯曲。

8.2 组　　装

8.2.1 施焊前,应清除焊缝坡口及两侧母材表面距坡口边缘20mm范围内的氧化皮、油污、熔渣及其他有害杂质。

8.2.2 筒节组装前,应对预制的筒节钢板进行尺寸复查,合格后方可组装。需重新校正时,应防止出现锤痕。

8.2.3 筒体组装应符合下列规定:

　　1 筒体组装宜采用正装法或倒装法施工。底圈或顶圈筒节应符合下列规定:

　　　　1)相邻两筒节钢板上口水平允许偏差应为±2mm,在整个圆周上任意两点水平的允许偏差应为±6mm。

　　　　2)筒节的垂直度允许偏差不应大于3mm

　　　　3)组装焊接后,筒节内表面任意点半径的允许偏差应符合表8.2.3-1的规定。

表8.2.3-1　筒节内表面任意点半径的允许偏差

筒体直径(m)	半径允许偏差(mm)
$D \leqslant 12.5$	±13
$12.5 < D \leqslant 45$	±19

　　2 其他各圈筒节的垂直度允许偏差不应大于该筒节高度的0.3%。

　　3 筒节对接接头的组装间隙,当图样无规定时,环向间隙宜符合表8.2.3-2的规定,纵向间隙宜符合表8.2.3-3的规定。

表 8.2.3-2 筒节对接接头的环向组装间隙(mm)

坡口形式	手工焊		埋弧焊	
	板厚	间隙	板厚	间隙
(图示)	$\delta_1<6$	$b=2^{+2}_{0}$	$12\leqslant\delta_1\leqslant20$	$b=0^{+1}_{0}$
	$6\leqslant\delta_1\leqslant15$	$b=2^{+2}_{0}$		
	$15<\delta_1\leqslant20$	$b=3\pm1$		
(图示)	$12\leqslant\delta_1\leqslant38$	$b=0^{+1}_{0}$	$20\leqslant\delta_1\leqslant38$	$b=0^{+1}_{0}$

表 8.2.3-3 筒节对接接头的纵向组装间隙(mm)

坡口形式	手工焊		气电立焊	
	板厚	间隙	板厚	间隙
(图示)	$\delta<6$	$b=1^{+1}_{0}$		
(图示)	$6\leqslant\delta\leqslant9$	$b=2\pm1$	$12\leqslant\delta\leqslant38$	$b=5\pm1$
	$9<\delta\leqslant15$			
(图示)	$12\leqslant\delta\leqslant38$	$b=2^{+1}_{0}$		

8.2.4 筒节组装时,内表面应齐平,纵、环形焊接接头对口错边量(图 8.2.4-1、图 8.2.4-2)应符合表 8.2.4 的规定。复合钢板对口错边量不应大于钢板复层厚度的 50%,且不应大于 2mm。

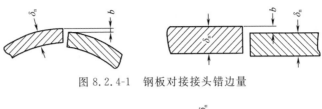

图 8.2.4-1 钢板对接接头错边量

图 8.2.4-2 复合钢板对接接头错边量

表 8.2.4 纵、环形焊接接头对口错边量(mm)

对口处钢材厚度 δ_n	对口错边量 b	
	纵向接头	环向接头
≤12	≤1/4δ_n	≤1/4δ_n
12<δ_n≤20	≤3	≤1/4δ_n
20<δ_n≤40	≤3	≤5

8.2.5 筒体对接焊接接头形成的棱角应符合下列规定：

1 筒体对接纵向焊接接头形成的棱角(图 8.2.5-1)E，宜用弦长等于 1/6 筒体设计内直径(D_i)且不小于 300mm 的内或外样板检查，其 E 值不得大于($0.1\delta_n+2$)mm，且不应大于 5mm；

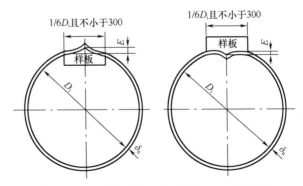

图 8.2.5-1 筒体对接纵向焊接接头形成的棱角

2 圆筒对接环向焊接接头形成的棱角(图 8.2.5-2)E,宜用长度不小于 300mm 钢直尺检查,其 E 值亦不得大于 $(0.1\delta_n+2)$mm,且不应大于 5mm。

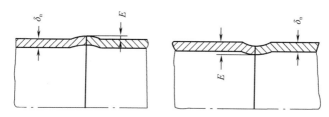

图 8.2.5-2 圆筒对接环向焊接接头形成的棱角

8.2.6 筒体上的对接接头,出现下列任一情况时,应按(图 8.2.6)的要求切削对接接头的边缘:

 1 两板厚度不等,薄板厚度不大于 10mm,且两板厚度差超过 3mm 时;

 2 两板厚度不等,薄板厚度大于 10mm,且两板厚度差大于薄板厚度的 30% 或超过 3mm 时。

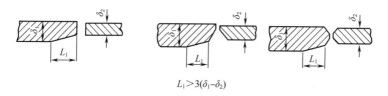

图 8.2.6 对接接头切削图

8.2.7 筒体断面最大内直径与最小内直径之差(图 8.2.7)应符合下列规定:

 1 筒体同一断面上最大内直径与最小内直径之差不应大于该断面设计内直径 D_i 的 1%,且不得大于 30mm。

 2 当被检断面位于开孔处或离开孔中心一倍开孔内直径范围内时,则该断面最大内直径与最小内直径之差,不应大于该断面设计内直径 D_i 的 1% 与开孔内直径的 3% 之和,且不得大于 35mm。

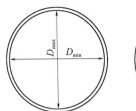 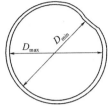

图 8.2.7 筒体断面最大内直径与最小内直径示意图

8.2.8 制造、组装过程中应避免钢板表面的机械损伤,对严重的尖锐伤痕应进行修磨,修磨深度最大不得大于该部位钢板名义厚度 δ_n 的 10%,且不大于 2mm,并使修磨范围内均匀过渡,不得有突变,修磨斜度不应大于 1:3。

8.2.9 高合金钢制容器的表面不应有影响耐腐蚀性能的局部伤痕、刻槽等缺陷,当有缺陷时必须予以修磨,修磨深度不应超过钢板厚度(复合钢板指复层厚度)的负偏差。

8.2.10 超出规定的修磨深度,允许采用焊补,但焊补后仍应满足本规范第 8.2.8 条和第 8.2.9 条的规定。

8.3 焊　　接

8.3.1 筒体施焊前,应根据图样要求确定焊接工艺。焊工必须严格按施焊单位评定合格的焊接工艺进行施焊。

8.3.2 下列容器筒体的焊接必须由持有锅炉压力容器焊工考试合格证的焊工担任:

　　1 容器设计温度小于或等于 -10℃ 或高于 250℃ 的容器;

　　2 盛装毒性为中度危害或易燃易爆介质的容器;

　　3 设计压力与公称容积的乘积大于或等于 0.5MPa·m³ 或公称容积大于 10m³ 的容器;

　　4 筒体名义厚度大于或等于 8mm 的容器。

8.3.3 钢号与母材匹配相焊接的焊接材料宜按表 8.3.3-1 选择,不同钢号相焊接的焊接材料宜按表 8.3.3-2 选择。

表 8.3.3-1 钢号与母材匹配相焊接的焊接材料

钢号	手弧焊 焊条 型号	手弧焊 焊条 对应牌号示例	埋弧焊 焊丝钢号	埋弧焊 焊剂 型号	埋弧焊 焊剂 对应牌号示例	二氧化碳气体保护焊焊丝钢号	氩弧焊焊丝钢号
Q235-A·F Q235-A 10、20 Q235-B	E4303	J422	H08 H08Mn	HJ401—H08A	HJ431	H08Mn2Si	—
20R Q235-C 20HP、20g	E4316 E4315	H08A H08Mn	HJ401—H08A		H08Mn2Si	—	—
25#	E4303 E5003	J422 J502	H08 H08Mn	HJ401—H08A	HJ431	—	—
16Mn 16MnR	E5003 E5016 E5015	J502 J506 J507	H10MnSi H10Mn2	HJ401—H08A HJ402—H10Mn2	HJ431 HJ350	H08Mn2SiA	H10Mn2

续表 8.3.3-1

钢号	手弧焊 焊条 型号	手弧焊 焊条 对应牌号示例	手弧焊 焊丝钢号	埋弧焊 焊剂 型号	埋弧焊 焊剂 对应牌号示例	二氧化碳气体保护焊 焊丝钢号	氩弧焊 焊丝钢号
1Cr18Ni9Ti	E0—19—10—16	A102					
	E0—19—10—15	A107					
	E0—19—10Nb—16	A132	H0Cr20Ni10Ti	—	HJ260	—	H0Cr20Ni10Ti
	E0—19—10Nb—15	A137					
0Cr18Ni9	E0—19—10Nb—16	A132	H0Cr20Ni10	—	HJ260	—	H0Cr20Ni10
	E0—19—10Nb—15	A137					

续表 8.3.3-1

钢号	手弧焊		埋弧焊			二氧化碳气体保护焊焊丝钢号	氩弧焊焊丝钢号
	焊条		焊丝钢号	焊剂			
	型号	对应牌号示例		型号	对应牌号示例		
0Cr18Ni10Ti	E0—19—10Nb—16	A132	H0Cr20Ni10	—	HJ260	—	—
	E0—19—10Nb—15	A137					
00Cr19Ni10	E00—19—10—16	A002	H00Cr21Ni10	—	HJ260	—	H00Cr21Ni10
0Cr17Ni12Mo2	E0—18—12Mo2—16	A202	H00Cr19Ni12Mo2	—	HJ260	—	H00Cr19Ni12Mo2
	E0—18—12Mo2—15	A207					

续表 8.3.3-1

钢号	手弧焊 焊条 型号	手弧焊 焊条 对应牌号示例	埋弧焊 焊丝钢号	埋弧焊 焊剂 型号	埋弧焊 焊剂 对应牌号示例	二氧化碳气体保护焊焊丝钢号	氩弧焊焊丝钢号
0Cr18Ni12Mo2Ti	E00—18—12Mo2—16	A022	H0Cr20Ni14Mo3	—	HJ260	—	H0Cr20Ni14Mo3
0Cr19Ni13Mo3	E0—18—12Mo2Nb—16	A212					
0Cr19Ni13Mo3	E0—19—13Mo3—16	A242	—	—	—	—	—
00Cr17Ni14Mo2	0E00—18—12Mo2—16	A022	H0Cr20Ni14Mo3	—	HJ260	—	H0Cr20Ni14Mo3
0Cr13	E1—13—16	G202					
0Cr13	E1—13—15	G207	—	—	—	—	—

表 8.3.3-2 不同钢号相焊接的焊接材料

接头钢号	手弧焊		埋弧焊		
	焊条		焊丝钢号	焊剂	
	型号	对应牌号示例		型号	对应牌号示例
Q235—A(A3)+16Mn	E4303	J422	H08 H08Mn	HJ401—H08A	HJ431
20、20R+16MnR	E4315	J427	H08MnA	HJ401—H08A	HJ431
	E5015	J507			
Q235—A(A3)+0Cr18Ni10Ti	E1—23—13—16	A302	—	—	—
	E1—23—13Mo2—16	A312			
20R+0Cr18Ni10Ti	E1—23—13—16	A302	—	—	—
	E1—23—13Mo2—16	A312			
16Mn R+0Cr18Ni10Ti	E1—23—13—16	A302	—	—	—
	E1—23—13Mo2—16	A312			

8.3.4 焊条、焊剂及其他焊接材料应保持干燥。贮存焊材的库(室)应控制相对湿度不大于60%。

8.3.5 焊接前应检查组装质量,清除坡口面及坡口两侧20mm范围内的铁锈、水分和污物,并应充分干燥。

8.3.6 施焊环境出现下列任一情况,且无有效防护措施时,禁止施焊:

1 手工焊时风速大于10m/s;

  2 气体保护焊时风速大于 2m/s；
  3 相对湿度大于 90%；
  4 雨、雪环境。

8.3.7 当焊件温度低于 0℃时，应在始焊处 100mm 范围内预热到 15℃左右。

8.3.8 筒体的焊接宜按下列顺序进行：
  1 筒体的焊接应先焊纵向接头，后焊环向接头。当焊完相邻两圈筒节的纵向接头后，再焊其间的环向接头；焊工应均匀分布，并应沿同一方向施焊。
  2 纵向接头采用气电立焊时，宜自下向上焊接。对接环向接头采用埋弧自动焊时，焊机应均匀分布，并沿同一方向施焊。

8.3.9 需要返修的焊接接头，其返修工艺应符合本规范第 8.3.1 条的规定。返修次数、部位和返修情况应记入容器质量证明书。同一部位的返修次数不宜超过两次，当超过两次时，应经施工单位技术负责人批准。

8.3.10 有抗晶间腐蚀要求的高合金钢制容器，焊接接头返修部位仍应保证不低于设计耐腐蚀性能要求。

8.3.11 施焊后，应在焊接接头所规定的部位打上焊工钢印，有特殊要求者，应符合图样规定。

8.3.12 容器的焊接工艺评定报告、焊接工艺规程、施焊记录及焊工的识别标记应保存 3 年。

8.3.13 对接焊接接头的焊缝余高（图 8.3.13）应符合表 8.3.13 的规定。角焊接接头的焊脚，在图样无规定时，取焊件中较薄者的厚度。补强圈的焊脚不应小于补强圈厚度的 70%，且不应大于补强圈的名义厚度。角焊接接头与母材应平滑过渡。

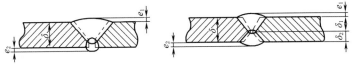

图 8.3.13 对接焊接接头的焊缝余高示意图

表 8.3.13 对接焊接接头的焊缝余高(mm)

单面坡口		双面坡口	
e_1	e_2	e_1	e_2
$(0\sim15\%)\delta_s$ 且$\leqslant 4$	$0\sim1.5$	$(0\sim15\%)\delta_1$ 且$\leqslant 4$	$(0\sim15\%)\delta_2$ 且$\leqslant 4$

8.3.14 焊接接头表面不得有裂纹、气孔、弧坑和夹渣等缺陷,不应保留有熔渣与飞溅。焊接接头咬边的连续长度不得大于100mm,焊接接头两侧咬边的总长不得超过该条焊接接头总长的10%,咬边深度不得大于0.5mm。高合金钢制容器不得有咬边。

8.3.15 经打磨的焊接接头厚度不应小于母材的厚度。

8.4 筒体形状和尺寸检查

8.4.1 筒体组装焊接后的几何形状和尺寸应符合下列规定:

1 筒体高度允许偏差不应大于设计高度的0.5%。

2 筒体直线度允许偏差应符合设计图纸要求。当设计无要求时,筒体直线度允许偏差不应大于筒体长度(L)的0.1%;当筒体长度超过30m时,其筒体直线度允许偏差不应大于筒体长度的0.5/1000+15mm。

3 底圈筒体内表面半径的允许偏差应在底圈筒体1m高处测量,并应符合本规范表8.2.3-1的规定。

8.4.2 筒体上的焊迹应清除干净,焊疤应打磨平滑。

8.5 涂　　装

8.5.1 涂装应符合设计要求。当设计无要求时,应符合现行行业标准《压力容器涂敷与运输包装》JB/T 4711的规定。

9 顶部结构制作及安装

9.1 制 作

9.1.1 顶部结构制作应符合本规范中第6.1节的有关规定。

9.1.2 顶部桁架焊接H型钢组装应符合下列规定：

1 焊接H型钢的翼缘板拼接缝和腹板拼接缝的间距不应小于200mm。翼缘板拼接长度不应小于板宽的2倍，板宽腹板拼接宽度不应小于300mm，长度不应小于600mm。

2 焊接H型钢的允许偏差应符合表9.1.2的规定。

表9.1.2 焊接H型钢允许偏差(mm)

项　目		允许偏差	图　例
截面高度 h	$h<500$	±2.0	
	$500<h<1000$	±3.0	
	$h>1000$	±4.0	
截面宽度 b		±3.0	
腹板中心偏移		2.0	

续表 9.1.2

项 目		允许偏差	图 例
翼缘板垂直度		$b/1000$，且不应大于 3.0	
弯曲矢高(受压杆件除外)		$l/1000$，且应不大于 10.0	—
扭曲		$h/250$，且不应大于 5.0	—
腹板局部平面度 f	$t<14$	3.0	
	$t\geqslant 14$	2.0	

9.2 安装及焊接

9.2.1 容器的定位轴线、基础轴线和标高、容器的规格及筒体应符合设计要求。

9.2.2 筒体顶部壁板或型钢圈作为顶部结构的支撑面时，其支承面位置的允许偏差应符合表 9.2.2 的规定。

表 9.2.2 支承面位置的允许偏差(mm)

项 目		允许偏差
支撑面	标高	±3.0
	水平度	$l/1000$

注：l 为支撑梁的长度。

9.2.3 顶部结构横梁、次梁、顶板安装应符合下列规定：
1 顶部结构横梁、次梁安装不应下挠。
2 顶部结构横梁、次梁杆件轴线交点错位的允许偏差不得大于3.0mm。
3 顶板的安装应符合设计要求。
4 安装焊缝坡口的允许偏差应符合表9.2.3的规定。

表9.2.3 安装焊缝坡口的允许偏差

项 目	允 许 偏 差
坡口角度	±5°
钝边	±1.0mm

9.2.4 安装和校正应符合下列规定：
1 梁、板构件的安装和校正应符合设计要求和本规范的规定。运输、堆放和吊装等造成的钢构件变形及涂层脱落，应进行校正和修补。
2 设计要求顶紧的节点，接触面不应少于70%紧贴，且边缘最大间隙不应大于0.8mm。
3 顶部结构梁安装允许偏差应符合表9.2.4-1的规定。

表9.2.4-1 顶部结构梁安装允许偏差(mm)

项 目	允 许 偏 差
梁间距	±5
梁的弯曲矢高	$L/750$，且不大于10.0

注：L为杆件长度。

4 现场焊缝组对间隙的允许偏差应符合表9.2.4-2的规定。

表9.2.4-2 现场焊缝组对间隙的允许偏差(mm)

项 目	允 许 偏 差
无垫板间隙	+3.0 0.0
有垫板间隙	+3.0 −2.0

5 顶部结构表面应干净,结构主要表面不应有疤痕、泥沙等污垢。

9.2.5 顶部结构焊接应符合本规范中第 6.3 节的要求。

9.3 涂　装

9.3.1 涂装应符合设计文件的要求,当设计无要求时,应按现行行业标准《压力容器涂敷与运输包装》JB/T 4711 的规定进行。

9.3.2 涂装前表面除锈应符合设计和国家现行有关标准的规定。

10 附件安装

10.0.1 容器开孔接管除应符合设计文件的要求外，尚应符合下列规定：

1 开孔前，需进行管口工艺方位的确认；

2 开孔接管的中心位置偏差不应大于 10mm，接管外伸长度的允许偏差应为 ±5mm；

3 开孔补强板的曲率应与筒体曲率一致；

4 开孔接管法兰应按标准要求进行加工；

5 开孔接管法兰的密封面不得有裂纹、毛刺以及降低强度和连接可靠性的缺陷；

6 开孔接管法兰面应垂直于接管或圆筒的主轴中心线，法兰的螺栓通孔应与壳体主轴线或铅垂线跨中布置；

7 安装接管法兰应保证法兰面的水平或垂直，有特殊要求的应按图样注明安装，其偏差均不得超过法兰外径的 1%，且不大于 3mm；当法兰外径小于 100mm 时，法兰外径可按 100mm 计。

10.0.2 人孔及手孔应符合下列规定：

人孔和手孔的制造、检验与验收除应符合现行行业标准《钢制人孔和手孔的类型与技术条件》HG/T 21514～《回转盖快开手孔》HG/T 21535 中相对应标准的规定外，尚应符合人孔和手孔标准施工图及其所属设备设计技术文件的要求。

10.0.3 观察孔及检修孔应按标准施工图及其所属设备设计技术文件进行制造、检验与验收。

10.0.4 安装液位监测装置或其他自控装置的接管应按其所属设备设计技术文件的要求进行制造、检验与验收。

11 搅拌设备安装

11.0.1 搅拌设备到货后,应按本规范第5.3.1条附属设备进行验收。

11.0.2 中心传动搅拌设备安装应符合设计和设备技术文件要求,并应符合下列规定:

1 传动机构支架安装应符合下列规定:
　　1)纵、横向中心线与锥体中心线同心度的允许偏差为4mm;
　　2)与锥体标高相对差的允许偏差为2mm;
　　3)纵、横向水平度的允许偏差为1/1000,且不应大于5mm。

2 传动装置安装应符合下列规定:
　　1)传动装置与支架连接应牢固;
　　2)传动装置中心线与锥体中心线同轴度的允许偏差为2mm;
　　3)传动装置与锥体标高相对差的允许偏差为2mm;
　　4)纵、横向水平度的允许偏差为0.5/1000。

3 耙架安装应符合下列规定:
　　1)耙架升降机构传动主轴的安装应以传动装置为基准,升降机构的滑动轴承孔与大蜗轮的轴孔同心度的允许偏差为0.15mm;
　　2)主轴垂直度允许偏差为1/1000,且不大于5mm;
　　3)耙架安装后,升降可调耙架在其行程最低位时,耙齿在圆周内与锥体间隙应符合设计及设备技术文件要求。

12 焊接应力处理

12.0.1 当设计文件要求消除焊接应力处理时,宜采用远红外加热法或爆炸法进行处理。

12.0.2 焊接应力处理应符合现行国家标准《金属材料 焊接残余应力 爆炸处理法》GB/T 26078 要求。

13 验　　收

13.1 钢结构的检验

13.1.1 无损检测人员应按照施工图纸和技术要求，对焊接接头进行无损检测。

13.1.2 无损检测人员必须持有Ⅱ(中)级或Ⅱ(中)级以上资格证书。不同无损检测方法各资格等级人员，只能从事与该方法和资格相应的无损检测工作，并应对检测结果负相应责任。

13.1.3 焊接接头经外观检测合格后，方可进行无损检测。对有延迟裂纹倾向的材质，应在焊接完成24h后进行无损检测。

13.1.4 无损检测方法应根据设计要求以及受检设备的材质、结构、制造方法、工作介质、使用条件，预计可能出现的缺陷种类、形状、部位和方向进行选择。

13.1.5 A级和AB级射线检测技术，应执行现行国家标准《金属熔化焊焊接接头射线照相》GB/T 3323，合格级别为Ⅲ级，抽检比例不应小于10%，且T形焊接接头必须全部检测。

13.1.6 B级射线检测技术，应执行现行国家标准《金属熔化焊焊接接头射线照相》GB/T 3323，合格级别为Ⅱ级以上，检测比例为20%，且T形焊接接头必须全部检测。

13.1.7 A、B级超声波检测技术，应执行现行国家标准《焊缝无损检测　超声检测　技术、检测等级和评定》GB 11345，合格级别为Ⅱ级，母材厚度大于8mm，检测比例不小于20%，且T形焊接接头必须全部检测，对缺陷判断有争议时，应采用射线检测技术验证。

13.1.8 C级超声波检测技术，应执行现行国家标准《焊缝无损检测　超声检测　技术、检测等级和评定》GB 11345，合格级别为Ⅰ

级,母材厚度大于 8mm,检测比例不小于 30%,且 T 形焊接接头必须全部检测。对缺陷判断有争议时,应采用射线检测技术验证。

13.1.9 出现下列情况时,应进行表面检测:

1 外观检查发现有裂纹时,应对该焊接人员焊接的焊接接头进行 100% 的表面检测;

2 外观检查怀疑有裂纹时,应对该处焊接接头部位进行表面检测;

3 检验人员认为有必要时,应进行表面检测;

4 设计图纸有要求时,应进行表面检测。

13.1.10 铁磁性材料必须采用磁粉检测方法。因工件结构或非铁磁性材料等原因,不能使用磁粉检测技术的,方可采用渗透检测方法。检测应执行现行国家标准《金属熔化焊焊接接头射线照相》GB/T 3323,合格级别为 Ⅱ 级以上。

13.1.11 焊接部位不允许存在裂纹、未熔合等表面缺陷。

13.1.12 咬边、夹渣、气孔、弧坑等表面缺陷应符合现行国家标准《钢结构施工质量验收规范》GB 50205 的规定。

13.1.13 容器对接焊接接头,凡符合下列条件之一者,需进行局部射线或超声波无损检测,检测长度不得小于各条焊接接头长度的 10%。局部无损检测应优先选择 T 形接头部位。只能进行气密性试验的容器,其对接焊接接头的无损检测长度不得小于各条焊接接头长度的 25%。

1 本规范中第 8.3.2 条规定的容器;

2 高合金钢制容器;

3 材料标准抗拉强度 σ_b > 4000MPa 的钢制容器;

4 进行气密性试验的容器;

5 图样规定需做无损检测的容器。

13.1.14 经射线或超声波检查的焊接接头中,若有设计不允许的缺陷,应在缺陷清除干净后进行焊补,并应对其重新检查直至合格。并应在该缺陷两端的延伸部位增加检查长度,增加的长度不应小于该条焊接接头长度的10%。若仍有设计不允许的缺陷,则对该条焊接接头做100%的无损检测。

13.2 试水试漏检验

13.2.1 容器制造及无损检测完工后,应按图样要求进行盛水试验、液压试验、气密性试验或煤油试漏等。

 1 容器的开孔补强圈应在压力试验前通入0.1MPa的压缩空气检查焊接接头质量。

 2 试验液体宜用水,需要时也可使用不会导致危险发生的其他液体。对高合金钢制容器,用水进行试验后,应立即将水渍去除干净。当无法达到这一要求时,应控制用水的氯离子含量不应超过25ppm。

 3 试验用气体应用干燥、洁净的空气、氮气或其他惰性气体。

13.2.2 试水试验应检查下列内容:

 1 罐顶的严密性;

 2 罐壁强度及严密性;

 3 锥体的强度、稳定性及严密性;

 4 基础的沉降观测。

13.2.3 试水试验应符合下列规定:

 1 充水试验前,所有附件及其他与罐体焊接的构件应全部完工,并应检验合格,且所有与严密性试验有关的焊缝,均不得涂刷油漆。

 2 充水试验宜采用洁净淡水;特殊情况下,若采用其他液体充水试验,必须经有关部门批准。

 3 充水试验中应进行基础沉降观测。在充水试验中,当基础发生设计不允许的沉降时,应停止充水,待处理后方可继续进行试验。

 4 充水和放水过程中,应打开透光孔,且不得使基础浸水。

13.2.4 锥体的严密性应以锥体无渗漏为合格。

13.2.5 罐壁的强度及严密性试验应充水到设计最高液位并应保持48h后,罐壁应无渗漏、无异常变形时为合格。当发现渗漏时应放水,使液面比渗漏处低约300mm,并应按本规范的要求进行焊接修补。

13.2.6 基础的沉降观测应符合下列规定:

  1 充水试验时,应按设计文件的要求对基础进行沉降观测;

  2 在罐壁下部圆周上每隔10m左右设一个观测点,点数宜为4的整倍数,且不得少于4点。

13.3 搅拌设备试运转验收

13.3.1 搅拌设备试运行应符合设计、设备技术文件要求,并应符合下列规定:

  1 电机空载试运行2h;

  2 负载试运行时间不少于4h;

  3 各连接螺栓牢固,无松动现象;

  4 各运转部件运转平稳,声音正常;

  5 提升机构往复运行5次;

  6 耙架运行不碰锥体壁、锥底。试运转合格后应将耙架、耙杆的所有连接螺栓、螺母焊接牢固。

13.4 整体验收

13.4.1 工程整体检查宜包含下列项目,并应符合现行国家标准《钢结构工程施工质量验收规范》GB 50205的有关规定:

  1 焊接接头外观质量标准及尺寸偏差;

  2 紧固件连接工程检验项目;

  3 筒体预拼装的允许偏差值;

  4 筒体安装的允许偏差值。

13.4.2 整体验收应提供下列资料:

  1 工程竣工图纸及相关设计文件;

2 工程施工方案；
3 施工现场质量管理检查记录；
4 施工质量验收记录；
5 隐蔽工程检验项目检查验收记录；
6 原材料、成品质量合格证明文件；
7 不合格项的处理记录及返修记录；
8 重大质量、技术问题实施方案及验收记录；
9 观感质量检验项目检查记录；
10 其他有关文件及记录。

14 职业健康安全

14.0.1 施工前应根据现行国家标准《危险化学品重大危险源辨识》GB 18218 的规定对现场进行危险源辨识和评价。

14.0.2 施工现场应制定防火应急预案,落实通风、消防设施,保持消防通道畅通。

14.0.3 在易燃易爆场所动火前应办理动火审批手续,经批准后,方可动火,动火区必须设置安全警示标志,并配备灭火器材。

14.0.4 现场危险品应设专用库房、专人保管,领用发放管理应符合国家《危险化学品管理条例》的有关规定。

14.0.5 作业现场有害气体、粉尘的浓度应符合现行国家标准《工作场所有害因素职业接触限值》GBZ 2 的有关规定。

14.0.6 现场施工人员必须穿戴防护用品。

14.0.7 施工现场高空作业应设置安全防护措施,并应执行高空作业有关规定。

14.0.8 特种作业人员必须持证上岗,所持证件必须在有效期内,并应在其允许执业范围内作业。

15 环境保护

15.0.1 施工现场的粉尘、废气、废水、固体废弃物应符合现行行业标准《建设工程施工现场环境与卫生标准》JGJ 146 的有关规定,并应制定有效的环境卫生管理措施。

15.0.2 施工废弃物应堆放至现场指定区域,并应及时清运。

15.0.3 施工现场废弃物应由专业人员集中处置,不得现场焚烧和随意倾倒、丢弃、填埋。

附录 A 基础沉降观测

A.0.1 沉降观测水准点平面布置应符合下列规定：

1 水准基点的布置应根据已知给定的水准点进行引测，将水准点引至基础周边建筑物上，并应进行固定。

2 沉降观测点标志的布置宜选用不受破坏和不受扰动的基准点作为水准点，并应做好基准点的维护和标识；应按规范要求在基础的四周360°均分后各取4个点作为基础沉降观测点，用倒红三角显著标识。

A.0.2 沉降观测记录应符合下列规定：

1 沉降观测周期为基础施工完毕至设备安装完毕。

2 如施工期间，当基础附近地面周围大量积水及暴雨后产生不均匀沉降时，进行逐日或几天1次的连续观测。

A.0.3 沉降观测应由技术人员负责，沉降观测仪器可采用水准仪。

A.0.4 沉降观测的方法应符合下列规定：

1 水准点应经常检查有无变动；

2 应用S2水准仪往返观测；

3 应使用固定人员、固定水准仪及水准尺；

4 水准尺离仪器的距离不应超过50m；

5 测定观测点后，再次后视水准点，前后两次后视读数差不应超过±2mm。

A.0.5 沉降观测的保护应符合下列规定：

1 水准点必须埋设坚固稳定，应防止本身产生变化，应定期进行高程检测；

2 水准点应布置在受振区域以外的安全地点，应防止受到振动影响，并应避免设在低洼易积水及松软土地带。

A.0.6 锥形容器基础检查记录按表 A.0.6 进行。

表 A.0.6 锥形容器基础检查记录

锥形容器编号				日 期		
锥形容器容积				锥形容器直径		
检查项目	允许值(mm)	实测值(mm)	检查项目		允许值(mm)	实测值(mm)
基础中心标高偏差			环墙周向标高差	10m内任意两点		
基础中心轴线偏差				全圆周任意两点		
基础单面倾斜度偏差			沥青砂表面平整度	倾斜基础平行线		
基础直径偏差				周向		
基础环梁宽度偏差				径向		

同心圆或平行线编号	计算标高(mm)	实测点标高(mm)					

同心圆或平行线及测点编号示意图:

建设单位 现场代表: 年 月 日	监理单位 现场代表: 年 月 日	土建施工单位 现场代表: 年 月 日	安装施工单位 现场代表: 年 月 日

A.0.7 基础沉降观测记录应按表 A.0.7 进行。

表 A.0.7 基础沉降观测记录

工程名称						储罐编号						
测点编号 水平高度 观测时间	1	2	3	4	5	6	7	8	9	10	11	12

监理单位： 现场代表： 年 月 日	施工单位： 测量员： 技术负责人： 年 月 日

施工技术负责人： 检查： 记录：

附录 B 交工验收表

B.0.1 锥形容器交工验收证明书应按表 B.0.1 进行。

表 B.0.1 锥形容器交工验收证明书

工程名称		工程编号	
锥形容器编号		结构形式	
容积		储存介质	
设计单位		材料	
开工日期		竣工日期	
工程质量评定：			
交工验收意见：			
建设单位 项目负责人： （公章） 年 月 日	监理单位 现场总监理工程师： （公章） 年 月 日	施工单位 项目负责人： （公章） 年 月 日	

B.0.2 焊缝射线检测报告应按表 B.0.2 进行。

表 B.0.2 焊缝射线检测报告

委托单位			报告编号		
工程名称			单位工程		
检件名称		检件规格		检件编号	
检件材质		焊接方法		热处理状态	
验收规范		合格级别		检测时机	
检测标准		技术等级		检测比例	
源种类		仪器型号		焦点尺寸(mm)	
管电流		透照方式		焦距(mm)	
管电压		曝光时间		增感屏	
像质计型号		像质计灵敏度		像质计放置	
胶片牌号		胶片规格		底片黑度	
显影液配方		显影条件		冲洗方式	

检测部位编号	底片编号	规格	焊工号	缺陷性质	缺陷定量	评定级别	备注

缺陷性质符号:圆形缺陷—A、条形缺陷—B、未熔合—C、未焊透—D、裂纹—E、咬边—F、内凹—W

评片人:	审核人:	签发人:	单位检测章:
资格:RT-	资格:RT-		年 月 日

B.0.3 焊缝射线检测记录应按表B.0.3进行。

表 B.0.3 焊缝射线检测记录

委托单位			记录编号			
工程名称		单位工程		工艺卡编号		
检件名称		检件编号		检件材质		
检件规格		仪器型号		焦点尺寸		
管电流		透照方式		焦距		
管电压		曝光时间		像质计灵敏度		
胶片牌号		胶片规格		增感方式		
显影时间		定影时间		底片黑度		
显影温度		定影温度		冲洗方式		
检测部位	底片编号	规格	焊工编号	缺陷性质	定量	评级	备注

记录人：　　　　　　　　　　　　检测人：

　　　　　　　　　年　月　日　　　　　　　　　　　　年　月　日

B.0.4 焊缝超声检测报告应按表 B.0.4 进行。

表 B.0.4 焊缝超声检测报告

委托单位			报告编号	
工程名称			记录编号	
检件名称			检件编号	
检件规格			检件材质	
焊接方法			坡口型式	
执行标准		技术等级		合格级别	
检验比例		检件总量		检测数量	
检件类型		检测时机		表面状况	
仪器型号		探测波型		耦合剂	
探头型号		探头K值		探头前沿	
标准试块		评定灵敏度		补偿	
扫描线调整方式		检测区域		探头扫查方式	

检测部位(编号)	厚度(mm)	检测结果				备注
		缺陷类型	缺陷尺寸（数量）	缺陷位置	评定级别	

缺陷及返修情况说明：

检测人： 资格:UT-	审核人： 资格:UT-	签发人：	单位公章： 年 月 日

B.0.5 焊缝超声检测记录应按表 B.0.5 进行。

表 B.0.5 焊缝超声检测记录

委托单位				记录编号			
工程名称		单位工程			工艺卡编号		
检件名称		检件编号			检件材质		
检件规格		表面状况			仪器型号		
标准试块		探头型号			探头K值		
探头前沿		扫描比例			检测灵敏度		
执行标准		合格级别			补偿		
检测比例		检测数量			耦合剂		
检测部位	性质估判	反射波幅(dB)	缺陷深度(mm)	指示长度，面积(位置)	所在区	评级	备注

缺陷示意图：

记录人： 　　　　　　　　　　　　　　检测人：

　　　　　　　　　　年 月 日　　　　　　　　　　　　　　　年 月 日

B.0.6 焊缝磁粉检测报告应按表 B.0.6 进行。

表 B.0.6 焊缝磁粉检测报告

委托单位				报告编号			
工程名称				单位工程			
检件名称			检件规格			检件编号	
检件材质			热处理状态			坡口形式	
焊接方法			检测部位			检测时机	
检测比例			合格级别			验收规范	
检测标准			验收等级			检测设备及型号	
检测灵敏度校验			标准试片(块)			磁扼间距	
磁化方法			磁化规范			磁痕记录方式	
磁粉种类			磁悬液配制浓度			施加磁粉的方式	
检测部位缺陷情况	焊缝(工件)部位编号	缺陷编号	缺陷类型	缺陷磁痕尺寸(mm)	缺陷处理方式及结果		最终评级(级)
					打磨后复检缺陷	补焊后复检缺陷	
					性质 | 磁痕尺寸(mm)	性质 | 磁痕尺寸(mm)	

备注:

检测结论:
1. 检测结果符合标准要求,评定为合格。
2. 检测部位及缺陷位置详见检测部位示意图(另附)。

检测人:	审核人:	签发人:	单位检测章:
资格:MT-	资格:MT-		年 月 日

B.0.7 焊缝磁粉检测记录应按表 B.0.7 进行。

表 B.0.7 焊缝磁粉检测记录

委托单位					记录编号			
工程名称					单位工程			
检件名称			检件规格			检件编号		
检件材质			检测部位			检测时机		
检测比例			合格级别			检测标准		
检测设备及型号			检测设备编号			磁痕记录方式		
检测部位缺陷情况	焊缝（工件）部位编号	缺陷编号	缺陷类型	缺陷磁痕（mm）	缺陷处理方式及结果			最终评级（级）
					打磨后复检缺陷		补焊后复检缺陷	
					性质	磁痕尺寸（mm）	性质	磁痕尺寸（mm）	

磁痕显示示意图：

检测人：	审核人：	记录人：
资格:MT-	资格:MT-	年 月 日

B.0.8 焊缝渗透检测报告应按表 B.0.8 进行。

表 B.0.8 焊缝渗透检测报告

委托单位					报告编号			
工程名称					单位工程			
工件	检件名称				检件编号			
	检件材质				检件规格			
	检测部位				表面准备			
	加工方式		□焊接□锻造□铸造 □金加工□其他		热处理状态			
器材 方法 及参数	渗透剂牌号				渗透温度			
	渗透剂型号				渗透时间			
	预清洗方法				显像时间			
	施加方法				观察方法			
	去除方法				标准试块			
	干燥方法/时间				观察方法			
技术 要求	检测比例				检测标准			
	检测灵敏度校验				合格级别			
工件 部位 编号	缺陷 编号	缺陷 类型	显示尺寸 (mm)	缺陷处理方式及结果				最终 评级 (级)
				打磨后复检缺陷		补焊后复检缺陷		
				性质	尺寸 (mm)	性质	尺寸 (mm)	

备注：

检测结论：
1. 检测结果符合标准要求，评定为合格。
2. 检测部位渗透显示记录及检件示意图(另附)。

检测人： 资格:PT-	审核人： 资格:PT-	签发人：	单位检测章： 　　年　月　日

B.0.9 焊缝渗透检测记录应按表B.0.9进行。

表B.0.9 焊缝渗透检测记录

委托单位					记录编号			
工程名称					单位工程			
检件名称		检件规格			检件编号			
检件材质		检测部位			检测时机			
检测比例		合格级别			检测标准			
渗透剂牌号		渗透温度			渗透时间			
显像时间		去除方法			显示记录方式			

检测部位缺陷显示情况	焊缝（工件）部位编号	缺陷编号	缺陷类型	显示尺寸(mm)	缺陷处理方式及结果				最终评级（级）
					打磨后复检缺陷		补焊后复检缺陷		
					性质	显示尺寸(mm)	性质	显示尺寸(mm)	

渗透显示示意图：

检测人：	复核人：	记录人：
资格：PT-	资格：PT-	年　月　日

B.0.10 锥形容器罐体几何尺寸检查记录应按表 B.0.10 进行。

表 B.0.10 锥形容器罐体几何尺寸检查记录

锥形容器名称			锥形容器编号	锥形容器	罐壁高度	结构型式
检查项目			合格标准	检查点数	最大偏差	合格点数	合格率(%)
罐壁几何尺寸	高度偏差						
	局部凹凸变形	水平方向					
		垂直方向					
	铅垂偏差						
	底圈半径偏差						
局部凹凸变形	罐顶						
	锥体						

施工技术负责人：	施工质量检查员：
建设单位（监理单位）：	施工班组：

年　月　日

B.0.11 锥体的锥形容器强度及严密性试验报告应按表 B.0.11 进行。

表 B.0.11 锥体的锥形容器强度及严密性试验报告

锥形容器编号		锥形容器容积		
材料		储存介质		
试验项目		试验方法	试验结果	建设单位代表
罐顶	真空试漏			年 月 日
	严密性试验			年 月 日
罐壁	强度及严密性试验			年 月 日
锥体	稳定性试验			年 月 日
	强度及严密性试验			年 月 日

建设单位(监理单位)	施工单位
现场代表：	班(组)长： 质检员： 技术负责人：
年 月 日	年 月 日

B.0.12 焊缝返修记录应按表B.0.12进行。

表 B.0.12 焊缝返修记录

锥形容器编号				锥形容器容积			
材料				储存介质			
序号	返修位置	缺陷性质	返修次数	返修尺寸（长×宽×高）	返修日期	焊工姓名	返修结果

技术负责人：	质检员：	班(组)长：
年 月 日	年 月 日	年 月 日

附录 C 搅拌设备试运转记录

表 C 搅拌设备试运转记录

工程名称		分部工程		
建设单位				
总承包单位		项目经理		
分包单位		项目经理		
试运转项目	试运转要求		结论	备注
电机				
传动装置				
耙架升降动作				
其他试验项目：				
试运转结论：				

建设单位	设计单位	监理单位	设备厂家	施工单位
负责人：	负责人：	负责人：	负责人：	负责人：
年 月 日	年 月 日	年 月 日	年 月 日	年 月 日

本规范用词说明

1 为便于在执行本规范条文时区别对待,对要求严格程度不同的用词说明如下:
  1)表示很严格,非这样做不可的:
    正面词采用"必须",反面词采用"严禁";
  2)表示严格,在正常情况下均应这样做的:
    正面词采用"应",反面词采用"不应"或"不得";
  3)表示允许稍有选择,在条件许可时首先应这样做的:
    正面词采用"宜",反面词采用"不宜";
  4)表示有选择,在一定条件下可以这样做的,采用"可"。
2 条文中指明应按其他有关标准执行的写法为:"应符合……的规定"或"应按……执行"。

引用标准名录

《立式圆筒形钢制焊接储罐施工及验收规范》GB 50128
《混凝土结构工程施工质量验收规范》GB 50204
《钢结构工程施工质量验收规范》GB 50205
《有色金属工业安装工程质量验收统一标准》GB 50654
《钢结构焊接规范》GB 50661
《不锈钢焊条》GB/T 983
《金属熔化焊焊接接头射线照相》GB/T 3323
《氩》GB/T 4842
《非合金钢及细晶粒钢焊条》GB/T 5117
《热强钢焊条》GB/T 5118
《埋弧焊用碳钢焊丝和焊剂》GB/T 5293
《气体保护电弧焊用碳钢、低合金钢焊丝》GB/T 8110
《碳钢药芯焊丝》GB/T 10045
《焊缝无损检测 超声检测 技术、检测等级和评定》GB 11345
《埋弧焊用低合金钢焊丝和焊剂》GB/T 12470
《不锈钢药芯焊丝》GB/T 17853
《危险化学品重大危险源辨识》GB 18218
《金属材料 焊接残余应力 爆炸处理法》GB/T 26078
《工作场所有害因素职业接触限值》GBZ 2
《焊接用二氧化碳》HG/T 2537
《钢制人孔和手孔的类型与技术条件》HG/T 21514~《回转盖快开手孔》HG/T 21535
《压力容器涂敷与运输包装》JB/T 4711
《建设工程施工现场环境与卫生标准》JGJ 146

中华人民共和国行业标准

钢制焊接立式锥形容器
施工及验收规范

YS/T 5431 - 2016

条 文 说 明

制 订 说 明

《钢制焊接立式锥形容器施工及验收规范》YS/T 5431—2016，经工业和信息化部 2016 年 10 月 22 日以第 56 号公告批准发布。

本规范制订过程中，编制组进行了多方面的调查研究，总结了我国钢制焊接立式锥形容器施工及质量验收方面的实践经验，同时参考了国家现行有关标准和法规。

为便于广大设计、施工、科研、学校等单位有关人员在使用本规范时能正确理解和执行条纹规定，《钢制焊接立式锥形容器施工及验收规范》编制组按章、节、条顺序编制了本规范的条文说明，对条文规定的目的、依据以及执行中需注意的有关事项进行了说明。但是，本条文说明不具备与规范正文同等的法律效力，仅供使用者作为理解和把握规范规定的参考。

目 次

1 总 则 ……………………………………………（71）
2 术 语 ……………………………………………（72）
3 基本规定 …………………………………………（73）
4 基础验收 …………………………………………（74）
5 材料及附属设备验收 ……………………………（75）
　5.1 钢材验收 …………………………………………（75）
　5.2 焊接材料验收 ……………………………………（75）
　5.3 附属设备验收 ……………………………………（75）
6 底部支撑制作及安装 ……………………………（76）
　6.1 制作 ………………………………………………（76）
　6.2 安装 ………………………………………………（76）
　6.3 焊接 ………………………………………………（76）
　6.4 涂装 ………………………………………………（77）
7 锥体制作及安装 …………………………………（78）
　7.1 制作 ………………………………………………（78）
　7.2 安装 ………………………………………………（78）
8 筒体制作及安装 …………………………………（79）
　8.1 制作 ………………………………………………（79）
　8.4 筒体形状和尺寸检查 ……………………………（79）
9 顶部结构制作及安装 ……………………………（80）
　9.1 制作 ………………………………………………（80）
　9.2 安装及焊接 ………………………………………（80）
10 附件安装 …………………………………………（81）

11 搅拌设备安装 …………………………………………（82）
13 验　　收 ………………………………………………（83）
　　13.1 钢结构的检验 ………………………………………（83）

1 总　则

1.0.1　本条规定了本规范的目的,同时说明了本规范是将施工与质量验收统一结合为一体。

1.0.2　本条规定了本规范的使用范围,其他化工、石油、矿物质的储备、加工、分离可参照执行。

2 术 语

2.0.1~2.0.6 本章所列术语是本规范有关章节所采用的,目的是为了正确理解术语的定义,从而有利于钢制焊接立式锥形容器施工及质量验收的进行。

3 基本规定

3.0.1 本条强调市场准用制度,要求钢制焊接立式锥形容器的施工单位应具有相应的资质,并在企业资质的许可范围内进行作业,目的是为了做好施工过程控制和质量验收工作。

3.0.3 根据《建设工程质量管理条例》规定:施工单位必须按照工程设计图纸和施工技术标准施工,修改设计图纸或需要材料代用必须有设计变更手续,或技术核定书面签证确认。

3.0.4 计量器具应检验合格且在有效期内,并按有关规定正确操作和使用。由于不同计量器具有不同的使用要求,为保证计量的统一性,同一项目的制作单位、安装单位、土建单位和监理单位等应同一计量标准。

3.0.6 隐蔽工程一旦进行隐蔽施工后,施工将无法逆转。即工程无法进行检测,也无法进行返修。因此,本条强调工程隐蔽前,应办理相关签证验收手续。

3.0.7 本条规定了质量验收施工单位应先进行自检,并应经自检合格。检查应按照检验批、分项工程、分部(子分部)工程进行。

4 基础验收

4.0.1~4.0.6 这几条阐述了设备基础交接验收程序,提出基础验收和处理的技术要求,执行中应严格遵循。

5 材料及附属设备验收

5.1 钢材验收

5.1.1 本条对建造锥形容器的钢材从质量、合格证书及标识等方面做了详细的规定。

5.2 焊接材料验收

5.2.1 本条对焊接材料(焊条、焊丝、焊剂及保护气体)的验收做了详细的规定。

5.3 附属设备验收

5.3.1 设备验收中的设备是指安装于锥形容器的设备(非现场制作),如电机、减速机、搅拌装置等。

6 底部支撑制作及安装

6.1 制 作

6.1.2 本条对矫正和成型做了规定。

1 对冷矫正和冷弯曲的最低环境温度限制是为了保证钢材在低温时受到外力时不致冷脆断裂。规定加热矫正的温度不应超过900℃,是因为超过此温度时,会使钢材内部组织发生变化,材质变差。

4 冷矫正和冷弯曲的最小曲率半径和最大弯曲矢高的允许值,是根据钢材的特性、工艺、成型后外观质量的限制而确定的。

6.2 安 装

6.2.2 本条对支撑立柱安装做了规定。

1 支撑立柱的安装应按设计要求安装,确保安装的精度和质量。

6.3 焊 接

6.3.1 本条对焊接所使用的材料要求进行了规定,焊条、焊丝、焊剂等在使用前,烘焙和存放应符合产品说明书及焊接工艺文件的规定。

6.3.2 本条是对从事焊接作业技术人员的要求进行了规定,所定义的焊接技术人员是指钢结构焊接和安装中进行焊接工艺的设计、施工的技术人员。

6.3.3 本条对焊接工艺要求做了规定。

1 焊接工艺评定是保证焊缝质量的前提之一,通过焊接工艺评定选择最佳的焊接材料、工艺等,以保证焊接接头的力学性能达到设计要求。

6.3.4 本条主要是对焊缝的检验作了规定,目的是保证焊接的质量。

6.4 涂 装

6.4.3 钢材表面的粗糙度对漆膜的附着力、防腐性能和使用寿命有较大的影响,本条提出了表面粗糙度的要求,以保证涂装的有效。

7 锥体制作及安装

7.1 制　　作

7.1.1 锥体制作前,应根据锥体的大小及角度,先绘制锥体制作排版图。排版图宜以 4 的倍数均匀分部。排版图上应标注每块制作钢板的编号,编号应统一、明了。将排版图上的编号再标注到制作钢板上。

7.1.2 预制钢板的制作是决定锥体角度和容积的最关键工序。其控制点应严格执行表 7.1.2 中的允许偏差值,采用样板对钢板进行检查验收。

7.1.3 预制钢板的拼接要求应符合现行国家标准《立式圆筒形钢制焊接储罐施工及验收规范》GB 50128 的规定。现行国家标准《立式圆筒形钢制焊接储罐施工及验收规范》GB 50128 已对坡口的形式、坡口角度与板材厚度要求、钢板与钢板之间的预留间隙进行了详细的规定。

7.2 安　　装

7.2.1 锥体拼装应按锥体排版图要求进行。在确保锥节预拼装顺序时,还应确保其组装后的要求符合本条规定。

7.2.2~7.2.5 锥体安装方法应根据锥形容器的大小和现场条件进行综合统筹,不限定安装形式。不论何种安装形式,都应保证其要求符合本条规定。

8 筒体制作及安装

本章节适用范围系参照国家现行标准《钢制焊接常压容器》JB/T 4735—1997、《压力容器》GB 150.1～150.4 及《立式圆筒形钢制焊接储罐施工及验收规范》GB 50128 编写,是基于设计压力 0.1MPa,真空度 0.02MPa 和设计温度低于 350℃ 的容器所能适应的设计原理、选材条件以及制造实践制订的。

8.1 制 作

8.1.4 检验用样板:

当曲率半径小于或等于 12.5m 时,弧形样板的弦长不应小于 1.5m;曲率半径大于 12.5m 时,弧形样板的弦长不应小于 2m。直线样板的长度不应小于 1m。

8.1.5 大型钢制焊接立式锥形容器的施工一般在现场预制,工作条件较差,钢材剪切、冷矫正和冷弯曲均受到气温的影响,考虑到钢材在较低温度下进行冷加工容易出现裂纹,因此对工作环境的最低温度参照现行国家标准《立式圆筒形钢制焊接储罐施工及验收规范》GB 50128 做出了规定。

8.4 筒体形状和尺寸检查

8.4.1 筒体直线度检查是通过中心线的水平和垂直面,即沿圆周 0°、90°、180°、270° 四个部位进行测量。测量位置与筒体纵向接头焊缝中心线的距离不小于 100mm。当壳体厚度不同时,计算直线度时应减去厚度差。

9 顶部结构制作及安装

9.1 制 作

9.1.2 本条对顶部桁架焊接 H 型钢组装做了规定。

1 钢板的长度和宽度有限,大多数需要拼接,翼缘板和腹板的拼接缝应错开 200mm 以上,以避免焊缝交叉和焊缝的集中。

9.2 安装及焊接

9.2.4 本条对安装和校正做了规定。

1 质量管理原则为全过程质量管理,构件运输、堆放和吊装等环节是质量控制的关键环节,应采取可靠措施,防止构件变形。如不慎使构件产生变形,应校正和修补后再进行安装。

2 顶紧面紧贴与否直接影响节点载荷传递,故对接触面和边缘间隙做了规定。

10 附件安装

10.0.4 本条中接管是指用于安装液位计等自控监测装置接管。

11 搅拌设备安装

11.0.1、11.0.2 本节是对搅拌设备的安装做了明确的规定,搅拌设备安装时在数值上要求比较严格,为了减少误差,给出了具体要求。

13 验 收

13.1 钢结构的检验

13.1.2 无损检测是钢结构焊接完成后,对焊缝进行的必要检测环节,以确保焊缝成型质量,故要求操作人员必须持证上岗,所持证件应与检测内容和等级相符。